U0064624

劉福春・李怡 主編

民國文學珍稀文獻集成

第一輯

新詩舊集影印叢編　第24冊

【汪靜之卷】

寂寞的國

上海：開明書店 1929 年 3 月版

汪靜之　著

花木蘭文化出版社

國家圖書館出版品預行編目資料

寂寞的國／汪靜之　著－初版－新北市：花木蘭文化出版社，2016〔民105〕

184面；19×26公分

（民國文學珍稀文獻集成·第一輯·新詩舊集影印叢編　第24冊）

ISBN：978-986-404-622-5（套書精裝）

831.8　　105002931

ISBN-978-986-404-622-5

9789864046225

民國文學珍稀文獻集成·第一輯·新詩舊集影印叢編（1-50冊）

第24冊

寂寞的國

著　者　汪靜之
主　編　劉福春、李怡
企　劃　首都師範大學中國詩歌研究中心
北京師範大學民國歷史文化與文學研究中心
（臺灣）政治大學民國歷史文化與文學研究中心
總編輯　杜潔祥
副總編輯　楊嘉樂
編　輯　許郁翎
出　版　花木蘭文化出版社
社　長　高小娟
聯絡地址　235 新北市中和區中安街七二號十三樓
電話：02-2923-1455／傳真：02-2923-1452
網　址　http://www.huamulan.tw 信箱 hml 810518@gmail.com
印　刷　普羅文化出版廣告事業
初　版　2016年4月
定　價　第一輯1-50冊（精裝）新台幣120,000元

寂寞的國

汪靜之 著

開明書店（上海）一九二七年九月初版，一九二九年三月再版。
原書三十二開。

寂寞的國

文學週報社叢書

寂寞的國

汪靜之著

開明書店出版

1929

本書著者其他著作

1,耶穌的吩咐	開明書店
2,翠英及其夫的故事	亞東圖書館
3,父與女	大江書鋪
4,李杜研究	商務印書館
5,詩歌原理	商務印書館
6,蕙的風	亞東圖書館

自　　序

一九二二年下半年 和二三年 共做詩一百來首，删去數十首，存四十三首，編爲聽淚。二四年一年只做了兩句小詩，也收在聽淚裏。今年共做詩五十二首，編爲悲苦的化身。全集共計九十六首。删去的固然是不好，保存的這些仍舊是不滿意，但因爲這些詩我自己讀的時候還沒有完全失掉自己消遣的效力，所以不再删了。

有的人以爲自己走的是冷而硬的鐵的路，有的人以爲自己走的是美麗的玫瑰的路，或者溫軟的天鵝絨的路。在這冷而硬的鐵的路上的旅人，只有落寞，苦惱，厭倦：三者已凝爲大氣，把地球牢牢封了。我因爲落寞，苦惱，厭倦，所以做詩，我做詩是爲了消遣自己，和勞苦的工人邊做工邊喊着無意義的聲調以減輕辛苦，解散鬱悶一樣。

而且詩是我的生命的一部分，我在做詩便是在生活。我要做詩，正如水要流，火要燒，光要亮，風要吹；水不願住了他的流，火不願息了他的燒，光不願暗了他的亮，風不願停了他的吹，我也不願止了我的唱。

人類還是兩脚的獸類，離變成『人』類的時日似乎還遠得很。人與人的靈魂的距離不知有幾千萬里，『了解』只是一個理想的名詞，現在決沒有這麼一回事。我印這本集子乃是爲了把牠弄得齊整美觀一點，並非想去求什麼了解與同感，我也鄙棄所謂了解所謂同感！人們便是對我有什麼褒貶毀譽，我也沒有那樣的興趣來理睬；我若來管你們的褒貶毀譽，不如到海濱草地上去睡一覺。

淮君師爲我寫封面，字全平兄及出版部諸先生幫助我出版發行，特在此致謝。

——一九二五年冬編成之日於上海。

目　錄

寂寞的國

3

心上的城

海水與虹霓

別歌

相思

伊心裏有一座花園

黃鶴樓上

你是海

灰色馬

上帝造了一個囚牢

一隻手

時間是一把剪刀

挖窖

我的他睡在那里

秋風歌

三仇

窗外

我是死寂的海水

聽　　淚

6

贈友

秋夜懷友

拒絕

不能從命

河水

空空和尚歌

我是那浪遊的白雲

那有

尋笛聲

不曾用過

很好過了

湖水和小魚

不曾知道

玫瑰

我把我的心壓在海洋底下

我的心

9.

我要

飄流到西湖

能變什麼呢

小詩十首

1

悲苦的化身

我在無生之國的時候，

　　有一天心上起了一陣劇痛，

好像是中了一枝暗箭，

　　這一箭眞傷得太重！

從此我沒有片刻的歡樂，

　　苦惱蠍一樣咬住我。

我心裏有一個聲音說道：

　　『我帶你到世上去遊玩，如何？』

於是我便到了一個村莊，

　　那村莊使我精神憂鬱；

屋角牆陰，園邊花畔，

　　沒一個無憂的處所。

我覺得日脚太長，

　　我覺得太陽走得太慢，

夜裏在我是有五百更，

　　我不能入睡，我是困倦。

我說：『快帶我回去罷，

　　這裏使我難受！』

『那麽還有更好的地方，』

　　這聲音發自我的心頭。

於是我到了一個城市，

　　城市的景象使我戰慄：

滿街都爬着蛆蟲蚯蚓，

　　辛勞地輾轉掙扎努力。

清風吹不乾我的淚珠，

　　陽光化不掉我的愁塊。

人間我都覺得可恨，

人間我都覺得可哀！

我叫喊道，『快帶我回去罷，

這裏使我痛苦！』

我心裏的聲音却說：

『那麼還有更好的樂土。』

於是我到了一個山塢，

荒涼的山塢使我寂寞；

嵯峨的環山阻不住悲哀來襲，

我的悲哀鬱蒼如草木。

蕭蕭的松濤令人寒冷，

陰沉的山壑令人悽然；

更何況山雀哀鳴不住？

更何况落叶千片飛紅萬點？

4,

我憤怒道：『快帶我回去罷，
　　這里使我悲戚！』
但是我心裏的聲音却說：
　　『那麽還有更好的福地。』

於是我到了一個海洋，
　　渺渺的海洋使我無聊；
雪浪銀濤在醸着苦悶，
　　暮雲朝霧在織着煩惱。

萬里茫茫，凄寥慘淡，
　　潮頭捲着哀愁來擊搗。
海水深碧到令人傷心，
　　又加上涼風習習，冷雨瀟瀟。

我要看什麽在心裏作怪，

8

剖開胸脯，將他掏出心窩：
他現了原形站在我面前，
原來是一個可怕的惡魔。

他猙獰如非洲的怪獸，
兇暴如地獄裏的惡鬼，
他殘忍勝過深山的狒狒，
饕餮勝過岩穴的魍魅。

他面色鐵青如昏暮的夜色，
烏灰如潰爛的頭顱；
頭髮黑如靈柩，亂如墳草，
像火山裏冒出的煙霧。

眼裏兩條凶光如兩條毒蛇，
又如向你放射的兩支銳箭；
臉上的笑好像火葬場上

屍身的爊爊的火焰。

他的口腔好像地獄，

嘴唇殷紅如縊死鬼的舌頭；

不知他曾經食過多少人，

口角邊有斑斑的血迹存留。

我要把他擊得腦漿迸出，

要把他砍做血蝦蟆；

但他忽地又跳入心窩，修起胸脯，

當我刀兒還未砍下。

我恨恨地說：『你是什麼狗頭？

害得我這般痛楚煩悶！』

他在我心裏說，聲音如虎咆哮：

『哈！我是生，我是悲苦的化身。』

一九二五，紅叶的秋天，上海。

生　　命

生命的本身就是厭倦，

　　生命的本身就是苦惱！

休向他求取錦繡，

　　他給你的只有糠糟！

生命的本身就是厭倦，

　　生命的本身就是苦惱！

休向他求取鮮花，

　　他給你的只有枯草！

生命的本身就是厭倦，

　　生命的本身就是苦惱！

他給你的只有土芥，

　　休向他求取珍寶！

生命的本身就是厭倦，

　　生命的本身就是苦惱！

休向他求取金礦，

　　他給你的只有糞窖！

生命的本身就是苦惱，

　　生命的本身就是厭倦！

休向他求取甘露，

　　他給你的只有黃蓮！

生命的本身就是苦惱，

　　生命的本身就是厭倦！

休向他求取珠玉，

　　他給你的只有煤炭！

——二五年秋，滬。

運命是一個獷悍怪獸

運命是一個獷悍怪獸，

　　他把我當作醍醐美酒；

當他喝盡了我的血液，

　　便把我的軀壳拋丟。

運命是一條狡猾毒蛇，

　　他把我當作馨香甘蔗；

當他啜乾了我的甜汁，

　　便把我的骸骨棄捨。

運命是一個魍魎陰險，

　　他把我當作銀白蠶繭；

當他抽繹了我的絲縷，

　　便把我的肉身喂犬。

運命是一個暴戾惡魔，

　　他把我當作芳馥蜂窠；

當他取完了我的甘蜜，

　　便把我的肢體毀破。

——二五年秋，遐・

尋　覓

我騎着疾速的千里名駒，
　在最大的京都馳驅；
尋遍了每條街路胡同，
　沒有快樂在迎余。

我撥開荊棘攀着枝柯，
　跑上高與雲齊的山獄；
探盡了每個石窟岩穴，
　希望並不在等我。

我跨着呼雲噴霧的鯨鯢，
　飄浮在茫茫的海洋裏；
找完了每個巨濤細浪，
　等待我的是失意。

我乘着翻山倒海的長風，

　飛奔在無極的天空；

覓盡了每個星球雲塊，

　歡迎我的是苦痛。

——二五年秋，湿。

觀音的淨瓶

觀音在天空緩緩浮行，

手裏托着伊的淨瓶；

瓶上插着一枝楊柳，

瓶裏裝滿着生命。

伊用柳枝洒向太陽，

太陽便喪失了輝光；

伊用柳枝洒向明月，

明月便變成了蒼涼；

伊用柳枝洒上白雲，

白雲便生了墨黑的菌；

伊用柳枝洒上虹霓，

虹霓的彩色便消逝褪隱；

伊用柳枝洒進風裏，

風便哀惻地太息噓唏；

伊用柳枝洒進流泉，

流泉便悽悲地嗜泣：

伊回顧伊洒過的東西，

流出兩顆慈悲的淚滴；

但伊仍舊輕舉柳枝洒去，

並不把淨瓶棄如敝屣。

二五年秋。

髑髏歌

髑髏呀！你可是浣紗的西施？
你可是身輕的飛燕？
你可是墜紅樓的綠珠？
你可是舞霓裳的玉環？

你長眠地下已經多久？
你愛否冰冷的泥牀？
你的坟墓已破，你的棺木全爛，
是豺狼把你搬在露天的地上？

你的玉骨已經枯朽，
你的冰肌已經成土；
蛆虫蛀了你的靈魂，
蛆虫蝕了你的血肉。

這眼洞是含情凝視的深眸，

這鼻眼曾經微嗅花香，

這里是秀眉深鎖之處，

這里是仰受親吻的地方。

你的聲音如黃鸝，已經杳然，

你的手如柔荑，已經物化，

你的銀齒如貝，失了光輝，

你的鬢髻如雲，只剩禿頭光滑。

有多少公侯為你瘋顛？

有多少王孫為你傾倒？

多少青年迷醉你的深情？

多少公子崇拜你的美妙？

到如今還有誰向你獻愛？

還有誰和你溫存？

17

誰也不再和你把臂，
誰也不再和你共枕。

春風不再爲你而吹，
小鳥不再爲你而鳴，
綠柳不再爲你飄舞，
日月不再爲你上升。

你的死灰裏可還有情火在燒？
你的白骨裏可還有留戀？
墳花可是從你屍骸長出？
墳花是否你情戀的火焰？

地底不能再喝一滴葡萄，
你生前可曾酩酊沉酒？
墓宮裏再不能有一吻的享受，
你生前可曾盡情狂吻？

你若不曾姿意接吻任性痛飲，

那我更要爲你哀哭！

都是他呀，他用塵土把你塑起，

又將你化成塵土！

二五年秋，滬．

我的失敗

當我幼年的時候，

　　我想塑一個快樂的雪人；

我不怕手冷如割，

　　我不怕風頭如刃。

我費了所有的心血，

　　塑不成快樂的微笑；

我塑了幾十個雪人，

　　都是悲哀的相貌。

後來塑成了幾分笑意，

　　但是轉瞬間便已溶銷；

那些哭喪着臉的雪人，

　　却是永久不倒。

當我少年的時候，
　我想描一幅快樂的圖畫；
我拒絕了睡神的邀請，
　我不管十分的疲乏。

我經了萬苦千辛，
　描不成快樂的跳舞；
我塗了幾萬張圖畫，
　都是悲哀的態度。

後來畫成了快樂的姿勢，
　一剎那便褪成一張白紙；
那些悲哀的圖畫的顏色，
　永久不變，永久不失。

當我青年的時候，
　我想刻一個快樂的石像；

我不顧切破手指，
我不問血流滿掌。

我用盡了每一滴血的力量，
雕不成歡欣的容顏；
我雕了幾百個石像，
都是悲楚的臉面。

後來雕成了愉快的神情，
一忽兒便碎裂瓦解；
那些皺眉蹙額的石像，
永久堅固存在。

當我壯年的時候，
我想譜一支快樂的樂曲；
我甘心手腕彈得酸痛，
我願意喉嚨唱破。

我用完了全盤的精力，
　　彈不成快樂的音調；
我彈了幾千支的歌曲，
　　都是哀抑的曲操。

後來彈出了喜悅的聲韻，
　　琴絃即刻便斷絕；
那些悲哀的歌調，
　　永久流傳不滅。

我的手藝勝過神工，
　　我的技術不遜天巧；
然而我竭我畢生的心思，
　　我的工作却是徒勞！

如今我已經衰老，

如今我已經枯萎；

我的眼目全然盲瞽，

我的耳朵根本聾聵。

我不能再塑雪人，

我不能再描畫圖，

我不能再雕石像，

我不能再弄絲竹。

二五年秋。

地球上的磚

火星上有一個太子，他愛吹簫，愛彈琴，愛歌唱，愛舞蹈，愛擊劍，愛騎馬，愛一切的遊戲；他終日只知作樂，不知其他。

有一天他忽然想着要造一個塔，國王便下了一道命令，叙全國的百姓進貢最好的磚爲太子造塔。

全國進貢的磚有三種是最貴重的，黃璧的磚，精金的磚，鵝黃的象牙的磚，但太子看了不滿意，他搖頭說：『這些磚我一點也不喜歡。』

於是國王派了許多聰明能幹的人到金星上，水星上，月球上，太陽上去採辦最好的磚。

金星上帶來的是綠玉的磚，翡翠石的磚，綠寶石的磚；水星上帶來的是藍寶石的磚，水蒼玉的磚，碧玉的磚；月球上帶來的是水晶的磚，白璧的磚，白金鋼鑽的磚，太陽上帶來的是火一樣紅的赤珊瑚的磚，血琥珀的磚，紅瑪瑙的磚：這些磚都是極珍奇，極希有，極寶貴的，磚上還彫刻着最精工最巧妙最細緻的花紋。但是太子看了不滿意，他搖頭說：『這些磚我一點也不喜歡。』

國王沒法，只得再派聰明的人到地球上去徵求最好的磚。

地球上帶來的是黑的磚，灰的磚，青的磚。

這種磚是地球上特有的，是地球上單獨出產的，無論那個星球都找不出這種磚。太子看了很合意，他笑着說：『我很愛，趕快替我造起來。』

一千個工人動手造塔，把黑的磚，灰的磚，青的磚相間相雜地疊起，不多天便造成一個很高的塔。

塔裏面黑的磚，灰的磚，青的磚互相反射，互相掩映，織成一種黯淡，幽冥，昏暗的氣象，這種氣象又淒清，又沉寂，又肅靜，又滄涼。

太子喜新塔落成，便獨自到塔頂上住起來。他一住進去就變了，神情委頓，眉毛緊鎖，而容蒼白、人家拿他愛吹的簫給他他不要吹，拿他愛彈的琴給他他不要彈，拿他愛舞的劍給他他不要舞了。

國王聘了全國第一個名醫來替太子診治，醫生看了說：『這病是地球上帶來的，這是無藥醫的地球上特有的病。』

太子愁鬱地，煩悶地，悲戚地住在塔裏，終日沈默着。那黑的磚，灰的磚，青的磚互相反射，互相掩映，淸寂，陰森而慘然。

二五年秋。

我怎能不狂飲

西天舞着幻滅的暮雲，
散出最後的光燐，
黑夜在凶狠地驅逐：
我怎能不狂飲？

天色如此陰陰，
涼風漸漸淒緊，
蟋蟀在階前哀泣：
我怎能不狂飲？

昔日青青的樹林，
光枝上只有幾隻鳴禽，
鳴聲如此的淒厲：
我怎能不狂飲？

我一入世便追尋，
世界已經走盡，
處處只尋着虛空：
我怎能不狂飲？

廿年前上帝便刺我以白刃，
一直擊刺到如今，
我已有一萬個傷疤：
我怎能不狂飲？

憂愁有如黴菌，
已腐蝕了我的柔心，
我的心已經潰爛朽壞：
我怎能不狂飲？

昨日花開如錦，
今朝花落如茵，

明日花成泥土：

我怎能不狂飲？

去年青絲兩鬢，

今年白髮如銀，

明年鬍鬚似雪：

我怎能不狂飲？

早晨滿肚的苦辛，

日中沒一絲歡欣，

夜裏更加煩惱：

我怎能不狂飲？

光陰如此嚴峻，慘忍，

把我的生命當作柴薪，

我的生命快要燒完：

我怎能不狂飲？

墳墓的口兒深深，
要吞食我的肉身，
要咀嚼我的白骨：
我怎能不狂飲？

我已被運命拿擒，
他把我來幽禁，
禁在個鐵壁的囚牢裏：
我怎能不狂飲？

死刑快要接近，
鋼刀不久來臨，
運命決不憐憫你半分：
我怎能不狂飲？

二五年秋。

悲愁仙子

悲愁仙子呀，你全身素淡，

　　你和白菊花一樣冷豔！

你像古井那般寂靜，

　　你像谷蘭那般幽閑。

你的明眸深淵似的涼碧，

　　你的神情如此悽厲！

清池的柳影是你的雲鬟，

　　秋空的明月是你的冰肌。

你是雪地的白鶴，

　　你是深塢的花朵。

你的面容始終灰白，

　　你的秀眉鎮日緊鎖。

你楚楚素粧有如女尼，

　　藍的拖裙，白的輕衣。

你的項鍊是瑩澈的淚珠，

　　你的披巾是幽憂的歎息。

當我還在孩提的時光，

　　你就把我做你的情郎；

我却斬釘截鐵地把你拒絕，

　　我正愛着快樂姑娘。

快樂是一個迷人的狐狸，

　　是一個妖冶的娼妓；

伊穿着錦繡的紅衣綠裳，

　　伊的裝飾是耀眼的華麗。

伊滿頭飾着珠寶琅琳，

　　遍身佩着鑽石黃金；

伊把笑焰做伊的面紗，

　　臉色桃花似的紅暈。

伊誘惑的手段極高妙，

　　最喜迷得人神魂顛倒，

只要伊的媚眼輕輕一轉，

　　誰能不入伊的圈套？

伊愛我的時間如白駒過隙，

　　便把我來拋棄；

伊棄我無影無蹤地去了，

　　我又無處尋伊。

感謝你悲愁仙子！

　　謝你來慰我孤單獨自；

不然當快樂棄我去後，

　　我定要傷心死。

悲愁仙子呀，你眞個多情！

　　你愛我是無比的固定，

你如此的忠心，如此的貞節，

　　你的忠貞宛如堅冰。

我已受快樂戲弄了多遍，

　　從今不再被伊欺騙；

伊完全沒有一點眞情，

　　伊戴着假面。

伊不獨無情無義，

　　便論容貌也不如你：

伊那樣的穠艷，

　　怎比得你這樣的凄美？

我與你交情最深，

　　快來和我親吻！

從此後我永久愛你，

還要帶你進墳墓！

二五年初冬。

海　上　吟

芷麗，你不要再啼哭了，

　　來和我奏一曲『罰我淪』；

我們虹樣的希望已深沉

在那渺茫的海外天邊，

　　你怎能到海底去撈針？

芷麗，你不要再嗟嘆了，

　　來和我唱一曲歡歌；

我們的悲哀和海一樣深闊，

我們的悲哀和海一樣黑，

　　你怎能使他乾涸？

芷麗，你不要再嗚咽了，

　　來和我選擇一個葬處；

那浪花是美麗的墳墓，

我們快跳進去吧，

葬了儲藏苦悶的倉庫！

——二，二七，於黑水洋船上。

寂寞的國

才見春暮的落花，

又見秋晨的紅叶。

秋風到我這里來得更早，

月亮到我這里更悽切。

我沒有家，沒有兄弟，沒有朋友，

我是孤獨，我是孤獨！

我和浮萍一樣飄流無定，

從旅館到公寓，從茶樓到酒閣。

這里那里我都覺得寂寞，

寂寞便是我的國；

我到南到北只是要流淚，

到東到西只是要痛哭。

89

世界上還有甚地方

可消遣我日暮的情懷？

我的悲哀像雨後的春筍，

我怎能斲碎我的悲哀？

我的寂寞好比無邊的海，

牠水一樣把我淹沒沉溺；

我逃不出這寂寞的國，

我將在寂寞裏老死！

——二五年冬，滬。

風的箭不息地射放

風的箭不息地射放，

箭箭都射在我心上；

牠爲什麽要射我呢？

爲要射傷我的希望！

太陽是旋轉的鐵輪，

天天在我頭上亂滾；

牠爲什麽要碾我呢？

爲要碾碎我的青春！

十字架

命運撒了兩粒種子
在我的心郊：
一粒叫做厭倦，
一粒叫做無聊。

種子撒下以後，
便長出兩株嫩苗，
命運又把我的眼淚
去做嫩苗的肥料。

時刻用眼淚去灌溉，
眼淚灌溉了無數；
嫩苗一天天地長大，
長成了兩株大樹。

命運看看樹兒已經夠大，

　　便把牠們砍下；

他把兩株樹交义起來，

　　做成了一個十字架。

他笑着自喜工作告成，

　　把十字架來站起；

他用四個鋒利的鐵釘，

　　把我活活地釘死。

——二五年初冬，滬。

命運是一個屠戶

命運是一個屠戶，

又是一個廚夫；

他把我的生命當做煤炭，

把我的肉體當做鍋鑪。

他一手拿着寒光閃閃的尖刀，

一手把我的靈魂揸牢，

切成薄薄的片片，

放在鍋裏紅燒。

他時時把煤炭增添，

燃燒得大火炎炎。

他還要加兩瓢醬醋，

還要加一點油鹽。

等到靈魂燒好他已餓，

　　便忙把靈魂來大嚼。

他一邊咀嚼一邊笑道：

　　『這味兒眞不錯！』

——二五年初冬。

呵羅羅裏的鬼

我到寒冰地獄已經很久，
這里眞是苦楚無比！
我怨上帝待我的暴虐，
更怨他不使你也來這里。

這里是一個永久的黑夜
一個不破曉的黑夜。
這里到處都結着寒冰，
到處都舖着冷雪。

這里的寒冷和火一樣厲害，
會凍焦你的體膚，
會凍僵你的血脈，
會凍入你的肺腑。

既給我這樣殘酷的刑罰，
又把你我分得這樣遼闊，
宇宙內有萬千的惡毒者。
上帝是最惡毒的一個！

我常把你的名兒來塗寫，
我常把你的名兒來歌唱；
寒冰上刻着你的名兒，
刻了千行萬行。

我歌唱着你甜美的名兒，
可得到幾分暫時的歡喜。
人世的一切我都已遺忘，
只忘不了我的愛人，你！

願你常常思念我，
你的思念能使我的痛楚減輕；

67.

願你永莫忘記我，
你的忘記會使寒冰更冰。

我親愛的姑娘呀！
我想你决不把我忘記：
你定是天天爲我流淚，
你定是夜夜爲我太息。

我想把上帝五馬分屍，
我想把上帝切成肉醬；
但是我逃不出這個囚牢，
我只能望你光降。

你若能到這里來呀，
地獄也是天堂！
你來到此地的日子，
便是我苦痛終止的時光。

你的眼是光明的太陽，

可以驅逐黑暗潛蹤；

你的呼吸和春風一樣溫暖，

可以使寒冰解凍。

我最渴慕的是你的美麗，

美麗是我全個的希望！

只要美麗的你在這里呀，

我便也不希罕甚麼天堂！

大論云：『寒冰地獄，一名阿羅羅。』

——一二五年秋，湄。

苦惱的根源

……………………………………

　　……………………………………

……………………………………

　　……………………………………

……………………………………

　　……………………………………

……………………………………

　　……………………………………

心臟刻刻地跳躍，

　　血流息息地蓬勃，

呼吸不休地出入，

　　胃府不停地磋磨：

牠們工作得這樣忙碌，
　　到底做出些什麽？
不是甜甜的愉快，
　　不是蜜蜜的悅樂，

不是薔薇樣的華年，
　　不是璣珠樣的欣歡，
不是芬芳的靑春，
　　不是鮮妍的朱顏，

不是微笑的波濤，
　　不是幸福的根苗；
牠所製造的只有一樣，
　　就是洪水般的苦惱。

苦惱洪水一樣汛濫，
把人類埋沒沉淹。

你該受這樣的災禍，

　　你自己是苦惱的根原！

——二五年秋●

我只有憎惡

我無所愛，我只有憎惡，

　　我只有絕對的憎惡！

你們一切都是我的仇敵，

　　我憎惡你們入骨！

我的憎惡斧頭一樣強暴，

　　我的憎惡蛇一樣惡毒；

我的憎惡是一條鱷魚，

　　我的憎惡是一個猛虎。

憎惡充滿了我每一個毛孔，

　　我滴滴血都變了憎惡。

全世界都是我的仇敵，

　　我要報復呀報復！

人類是糞土，人類是猴猿，

　　博愛家根本不懂人的眞面；

只有養尊處優的公子王孫，

　　才談着博愛消遣！

我不願和人寒暄問好，

　　我不願和人握手爲禮；

我無論遇着誰何，

　　只想用劍向他亂刺。

把你們鞭尸三百，

　　把你們千刀萬刃，

糞土呀，猴猿呀，仇敵呀，

　　不足雪我的仇恨！

——二五年年冬。

精衛公主

古時候有一個公主，
伊最愛到東海去閑遊，
古時候有一個美女，
伊常常在海濱逗留。

伊愛那濤瀾的奔放起舞，
伊愛那波浪的悲壯歌奏，
伊愛那海空的縹緲白雲，
伊愛那飄浮水面的海鷗。

有一天伊遇見一位青年的漁人，
在海濱忙碌地撒網；
他是那樣的勇敢強健，
又是如何的活潑溫良。

伊走向他說『你可否把那小魚兒

送一個給我，年少的漁郎？』

他說他很願意送給伊，

慇懃地捧給伊小魚一雙。

伊帶着魚兒姗姗地歸去了，

他出神地望着伊的後影：

『啊！天上下來的女神，美的小姐，

伊那醉人的醉人的神情！

伊那樣的妍艷，那樣的華麗，

好像是光彩絢爛的孔雀；

那隨風飄拂的繡花裙，

就像孔雀尾巴的婀娜。

伊的姿態比風吹柳絲還要宛轉，

伊的語聲賽過嚦嚦的黃鶯；

伊走路時那翩翾的樣子，
好像落梅那樣輕盈。

伊的兩頰又像桃花又像芙蓉，
伊的風度又瀟洒又閑靜；
還有伊的眼睛，那晶瑩的秋波，
撥得人心跳不寧！』

伊去得望不見了他才清醒轉來；
剛才他已發呆有些迷糊昏醉；
他想到伊是公主他是小民，
落下幾滴慚愧的眼淚。

但他又想着那尊貴的公主
假使能夠，假使能夠下愛，
不管國王判他怎樣的大罪，
他也忍受得來。

伊回到宮中，把那對魚兒
養在斗大的金缸裏；
伊覺得這小魚兒的寶貴，
勝過伊父親的王冠玉璽。

那漁人時時浮上伊的心頭，
使伊羞紅滿頰；
伊覺得若能和他在海濱終老，
情願把王女的尊榮丟捨。

從此後憂愁做了伊的好友，
煩悶做了伊的知交；
伊處處躲不掉陰陰的寂寞，
在在逃不脫沉沉的無聊。

伊覺着巍巍的宮殿好像是

要把伊的愛情壓死；
伊覺着人們的眼光好像刀劍，
要斬斷伊的相思。

有一天伊又到海濱，
海濱是嚴肅而鎮靜；
伊低頭在沙灘上閑步，
往來不見一個人影。

伊忽然聽得洪大的聲浪，
原來潮頭已經快到跟前；
伊沒命地奔跑逃避，
潮頭緊跟在後邊。

那滾滾的龐大如屋的潮頭，
只是向伊捕撲掩捲；
那來勢比戰士還要暴惡，

比強盜還要凶險。

狂波怒濤疾馳在後面，
發出轟然的咆哮；
暴風在上面猛烈地播蕩，
幫助着把伊撻抓。

伊喊了一聲尖銳的哭聲，
喊得這樣悽厲慘傷：
太陽聽了幾乎要爆炸，
天使聽了幾乎折了翅膀。

隆隆的浪山漸漸逼近，
蠻悍地把伊擒住。
伊曳曳一息已在死神脚下，
再不知戰慄，不知恐怖。

猙獰的潮頭嘯號着把伊擄去，
得勝地澎湃騰躍。
從此如花似玉的仙娥
終古沉淪湮沒。

那漁郎一年年地盼望，
望他的公主再到海濱；
一直等到他的兩鬢成霜
他鍾情的美女終不來臨。

他不知伊已被大海吞沒，
他不知伊已成了白骨。
他不知自然是一個魔王，
他不知自然的惡毒！

二五年春於保定。

自　　然

他的神氣頹敗，他的眼光憂鬱，他額上有不少很粗很深的皺紋，皺紋裏面匿着辛苦與疲乏：一望便知他是倦于行旅了。

他在鐵路上走着，這鐵路是單調的，死板的，枯索的。他希望有一點變化，但鐵路始終是兩條鉄軌平行着。

他不知從那里上路，也不知要到那里；後顧是蕩蕩，前瞻是渺渺，仰觀是蒼蒼，俯視是莽莽。

這是很難走的鐵的路，這鐵的路又硬又冷。他已困乏到極點，但還掙扎着邁步走着。

這時天色已黃昏，夜幕罩下來了。他後面來了一個龐然大物，目光强烈如炎日，怒視千里；聲音如獅子吼叫，響徹雲霄。看了這目光，聽了這聲音，龍虎都要顫抖，這目光裏聲音裏含了有毒。

這眞是一個極大的怪物，自古以來所有的毒蛇猛獸合併起來沒有牠萬分之一的兇惡。

怪物飛跑着把他——行路者——踏倒，向前奔去，喊着雷鳴的聲音：『自然！自然！自然！』

他倒在冷而硬的鐵的路上，齊腰截斷，肚腸狼籍，濃血舖地，有朱紅的血，有赭絳的血，有丹的血，有黑的血，有火似的血，有鷄冠似的血。

——二五年冬滬。

沙　海

我在莽莽的沙海裏行走，

　　這沙海是沒有盡頭。

我背上負着一個鐵塊，

　　我不能把牠拋丟。

四面黃沙向我猛搏，

　　我是異常地疲倦落寞；

我欲葬身在沙海裏，

　　鐵塊却鞭策着我。

我知道這里那里都是沙，

　　前面沒有綠洲與紅霞；

我已不願再行走，

　　無奈不能就停下！

——二五年秋。

死　別

我死後你把我葬在山之陰，
　　山之陰是陰涼而寂寥；
我要靜靜地睡在那里，
　　我不要太陽光的照耀。

你不要種梅花在我的墳旁，
　　梅花會帶來春天的消息；
我願永遠忘了豔麗的春天，
　　牠會使我墓中人流涕。

你不要種牡丹在我的墳前，
　　牡丹花是那樣嫵媚輕盈；
我埋在地下的骷髏，也要爲牠
　　輾轉反側，不得安寧。

你不要種石榴在我的墓後，

　　榴花的殷紅有如火焰；

我已經變成化石的死骸，

　　也要因牠而復燃。

當秋天來了，你不要去洒掃，

　　讓秋葉墜落紛紛；

我願一年年的秋葉積壓在墳上，

　　把我埋掩的深深。

你莫爲我悲啼，那會使我想起

　　生前你我恩愛的年歲；

冷落的沉寂的墓底的枯骨

　　要爲了回憶而粉碎！

——二五年秋。

生之礦

我們都是在開礦，
　開得極是苦辛；
自從亞當開到這時光，
　誰也沒有得着黃金！

這是一個極大的礦，
　裏面幽冥昏暗；
隧道裏沒有光亮，
　只充滿着愁煩。

我們用力拚命地掘，
　掘了又掘不停止；
我們一出世便動手鑿，
　一直鑿到成死尸。

我們有的跌斷了脚，

　　有的折斷了手；

這里埋着祖宗的骸骨，

　　還要埋子孫的尸首。

掘了一層又一層，

　　一層層是黑的泥土；

這個礦全是泥土搆成，

　　决沒有黃金出露！

——二五年初冬。

你這樣紛紛下降

雪呀，你這樣紛紛下降，
爲什麼忙到這般模樣？
——我趕着爲你織壽衣，
不久便要穿在你身上。

海呀，你這樣莽蕩渺茫，
爲什麼這般深這般廣？
——我是你長眠的墳墓，
不久便要把你來埋葬。

雨呀，你終日蕭蕭滂滂，
爲什麼顏色灰白青蒼？
——我是哭弔你的眼淚，
我爲你快長逝而心傷。

風呀，你時刻緩鳴輕響，

為什麼聲音嗚咽悲涼？

——我是哀悼你的輓歌，

我為你快毀滅而惻愴。

——二五年秋。

失望是厚大的壽板

失望是厚大的壽板，

　　一塊塊地裝釘配合，

　　做成一個棺木；

不管賢聖凡愚，

　　都要裝滿棺木的肚腹！

痛苦是堅固的墳墓，

　　一塊塊地堆壘砌築，

　　築成一個墳磚；

不管王公乞丐，

　　都是墳墓的候補！

——二五年秋。

野草全已枯黃

野草全已枯黃，

　　一片萬里茫茫；

昔日青青滿地，

　　如今遍地淒涼。

地面上舖了霜，

　　我心上舖了霜！

我本孤獨伶仃，

　　東西飄泊如萍；

閑來塘畔徘徊，

　　自吊此生不幸。

水塘裏結了冰，

　　我心裏結了冰！

我獨彷徨曠野，

北風寒冷如鐵；

我在自悼自悲，

希望已經凋謝。

樹枝上落了葉，

我心上落了葉！

——二五年秋

我若是一片火石

我若是一片火石，

　　不願埋在荒涼的山麓，

我要去找打火的鐵刀，

　　請他把我痛擊：

我只要發一星美麗的火花，

　　不管擊碎我的身體！

我若是一根火柴，

　　不願睡在冷落的匣裏；

我要去找有燐的匣面，

　　請他把我燒起：

我只要開一朵璀璨的火焰，

　　把我焚燬了我不惜！

我若是一顆露珠，

不願站在寂寥的泥地；
我要迎迓太陽的照臨，
和他擁抱親嘴：
我雖然只甜蜜得一分鐘，
把我消散了我不悔！

我若是一瓣雪花，
不願飄在黯淡的天際；
我要飛到熱烈的火爐上，
在那里跳舞遊戲：
我為了僅僅一秒鐘的歡舞，
願把我的生命作牲犧！

——二五年秋，保定。

我是天空的晚霞

我是天空的晚霞，

　　馬上便要殯殮；

那獰惡的龐大的黑夜，

　　他要把我呑噬。

但在我快幻滅的剎那，

　　讓我再醉舞一番！

我是樹上的紅葉，

　　不久便要枯死；

那殘酷的肅殺的秋風，

　　把我的青春咬食。

但在我快憔悴的末日，

　　讓我再鮮紅一次！

——二五年春，杭。

莫停下你的金樽

芷麗呀！莫停下你的金樽，

　　莫乾了你的芳唇！

這是紅的美的葡萄酒呀，

　　蘭花一般的清芬。

水邊衰柳嫋娜輕飄，

　　天上殘雲翩翩舞蹈，

夜貓在那里哀歌，

　　海濤在那里怒潮。

不要管他飛花如雨，

　　不要管他落葉蕭蕭，

任他風鳴如泣，

　　任他月明皎皎。

太陽落了明天還要來，

　　花謝了明年還要開，

只有我們呀，只有我們呀，

　　終久不可再！

這是紅的美的葡萄酒呀，

　　蘭花一般的清芬；

芷麗呀！莫停下你的金樽！

　　莫乾了你的芳唇！

——一九二五，七，三〇，北京。

我結的果是墳墓

河水呀，你在趕你的道路，

　　我也在趕我的程途；

但你的目的是大海，

　　我的終點是墳墓。

蜜蜂呀，你忙着採取花露，

　　我也和你一樣勞苦；

但你的收成是甜蜜，

　　我的收成是墳墓。

梨樹呀，你忙着花白葉綠，

　　我也工作得極辛楚；

但你結的果是雪梨，

　　我結的果是墳墓。

——二五年初冬。

心上的城

地面上築了一座萬里長城，

　　何等的牢固，何等的綿長！

從此殷勤的清風不再送到南邊

　　那胡笳的聲調悠揚。

我心裏築了一座悲苦的城，

　　十分的高大，十分的堅實；

從此那窈窕嫵媚的歡愉，

　　沒有來光顧我一次。

你始終欺騙我的希望呀！

　　你就是築城的工人！

我心上一塊塊的悲苦的磚，

　　都是你親手造成！

——一九二五，二，三一，天津。

海水與虹霓

海水本是凝靜平和的，

　　因爲五彩的虹霓在空中，

　　牠才朝朝夜夜地洶湧；

我的心本是很安分的，

　　因了伊那迷人的姿容，

　　牠才時時刻刻地波動。

海水仰面懇求了千萬次數，

　　虹霓却不肯俯下頭來相親，

　　牠的愛情是鐵似的嗇吝；

石像一般冰的美女，

　　我不知向伊獻了多少殷勤，

　　伊却用白眼來刺我的心。

五彩的虹霓已經消滅，

但海水還不息地汐潮，

而且有了一個傷疤——那小島；

妍艷的佳人已經凋謝，

但我的思慕還永久地躍跳，

而心上有了一個悲痛的島。

——一九二五，二，二八，于綠水洋船上。

別　　歌

我在你頰上吻了又吻，

　　你的淚珠這樣辛酸；

我在你腮邊親了又親，

　　你的淚痕這樣冰寒！

我嘗出你的別苦，

　　我嘗出你的離愁。

愁苦如搗藥的鐵杵，

　　把我的心當作石臼。

我意亂如暮春的柳絮，

　　又如雪片的揚蕩飄舞。

滿天的星斗，遍地的荒艸，

　　比不過我半分的痛楚。

從今後，我在沙漠之邊，

　　你在西子湖前；

把這沉重的相思担子

　　在沙旁湖上日夜熬煎。

呀！離別在眼前，離別在眼前！

　　讓我吞盡你的清淚泫泫。

我的骨頭爲你瓦解，

　　我的血流爲你焚燃！

——二月，廿七，於黑水洋船上。

相　思

波浪在海上洶湧，

　　相思在心頭激蕩；

波浪有休止的時候：

　　相思終久不低降。

狂風在水面飛奔，

　　相思在心頭躍跳；

狂風有和平的時候，

　　相思終久不相饒！

二月，廿七，於黑水洋船上。

生與死

生與死是一對姊妹，生是妹，死是姊。

妹妹容貌極美，髮如黃金，腑如淡月；嘴唇櫻紅，笑渦圓小，滿臉飄着春風，又有一雙最會勾人最會迷人的滴溜溜的眼睛。

姊姊容貌極醜，黑如非洲的黑奴，凶如母夜叉，眉毛上豎，目光如刺，頭髮好像一千條鐵線蛇，獰笑時露出巉巉的犀利的齒牙，態度凶惡可怕。

妹妹項鍊如明星，穿着粉紅的衣裳，嫩綠的裙；姊姊被着淤黑如夜的斗蓬，戴着灰色的風帽，頸鍊如一串鬼火。

伊倆是孿生的姊妹，兩人的容貌原是一樣醜陋，如出自一個模型，但妹妹善化裝，而姊姊却不修邊幅。

姊妹苦心經營地努力做伊倆的事業，伊倆的

工作是最毒的惡作劇與散佈苦楚。妹妹的武器是香甜的親吻，溫存的擁抱；姊姊的武器是恐佈的黑暗，冰冷的沉寂。

——二五年冬，滬。

伊心裏有一座花園

伊心裏有一座華美的花園，

那裏的花草是醉人的鮮豔；

我懇求伊賜我做一個園丁，

去為伊灌溉，免使凋零。

但是那美人兒呀，伊說伊一點不愛我；

並且把那園門上了鎖。

伊心裏有一個深湛的池子，

那裏的水兒涼冷如死；

我懇求伊賜我在池裏游泳如鵝，

聽憑浮去浮來，不管溺沉死活。

但是那美人兒呀，伊說伊厭我如糟糠；

並且把那池子罩了網。

——一九二五，八，七，改作舊稿于北京。

黃鶴樓上

黃鶴樓上已籠着暮色，
　　黃鶴樓前已飛着暮鴉；
西天已翩翩醉舞起來了
　　那頹害的絢爛的晚霞。

我終日在樓頭沈鬱煩悶，
　　喝一杯玫瑰，彈一曲「漫陀淋」；
琴聲刺痛了我的骨，
　　酒兒燒焦了我的心。

江邊的遠樹惺惺欲睡，
　　樓下的江水模糊昏黃，
望到那水天混合之處，
　　杳渺——灰暗——蒼茫。

我擊碎了我的「漫陀淋」，

　　我敲碎了我的酒杯；

我還想把那黯然的晚霞，

　　扯得一縷縷地投入江水！

——七，三，北京。

你是海

妳是明慧的縹緲的海，

我是生長在海濱的小草；

我要儘着看你那嫵媚的婀娜的姿態，

將來有一天你把我連根拔掉，

我一絲兒不悔，我能忍耐！

明慧的縹緲的海就是你，

飄浮在海上的船兒就是我；

我要吻遍你那碧玉般柔潔的身體，

將來有一天溺死在你的心窩，

我也全然甘心願意！

一二，三〇，海船上。

灰色馬

見有一匹灰色馬，騎在馬上的，名字叫做死。

——啓示錄，第六章。

啊！灰色的灰色的馬呀！

你的顏色像砒霜毒死的尸首，

你的顏色像骷髏上的塵泥，

你的顏色像地獄的昏幽。

你的蹄兒是嚴冷的盤石，

你的蹄兒是堅重的千鈞鼎。

你口裏有黑烟噴散，

你眼裏有火焰飛迸。

你的尾巴像吊死鬼的頭髮，

你的尾巴像殺伐的彗星。

你比蛇蝎還要惡毒，

你比鱷魚還要猙獰。

啊！非也，灰色的馬呀！
你的顏色像灰色的寶石，
你的顏色像微亮的黎明，
你的顏色像灰黑的珊瑚枝。

你的蹄兒是閃爍的寶玉，
你的蹄兒是光耀的烏金。
你口裏吐出香霧，
你眼裏飛出彩雲。

你的尾巴像翠綠的水藻，
你的尾巴像一串夜明珠。
你和美女一樣溫柔，
你和母親一樣愛撫。

啊！可恨可惡的灰色馬呀！
你是無比的醜惡可怕。
你的鐵蹄要把我踏碎，
你口裏的火要把我爍化！

啊！非也，可愛可親的灰色馬呀！
你是絕頂的溫美婀娜。
我要吻你烏金的蹄兒，
我要親你夜明珠的尾巴！

——二五年秋。

海上憶伊

我的身被輪船載向北海，

　　我的心跟北風飛向江南。

我舉首向南悵望，

　　恨雲山把我遮攔。

我在天涯愁腸寸寸斷，

　　伊在地角淚涔涔。

我的靈魂夜夜飛往南方，

　　奈何見不着溫美的伊人！

我的相思海一樣深，

　　我相思得這般憂傷：

流雲也為我停了跳舞，

　　濤瀾也為我止了歌唱。

把海風都變做嘆息，

　嘆不盡我的悲悽；

把海水都變成墨汁，

　敘不完我的別意！

——二，二八，於綠水洋船上。

上帝造了一個囚牢

上帝造了一個囚牢，
　　把人類的世界圍包，
上下四方沒半絲兒微隙，
　　任論如何不能脫逃。

這囚牢觸之無物視之無光，
　　却是堅硬牢固非常；
牠的牆是無形的鐵，
　　牠的壁是無色的鋼。

這是比十八層地獄更苦的牢囚，
　　囚奴們死也不能忍受。
囚奴用頭顱去撞牢壁，
　　想撞破囚牢而得救。

頭顱不知撞碎了幾多，

積滿了陸地塞滿了江河；

繼續着撞了一千萬年，

果然把牢牆撞破。

囚奴雖撞破了牢獄，

却沒有逃出一個，

因爲上帝命令了女媧，

馬上把破洞修補過。

上帝把囚牢加硬了百倍，

頭顱沒有撞去就粉碎；

囚奴們再也不能撞破囚牆，

只得永遠在囚牢裏受罪！

——二五年秋。

一隻手

每人心裏有一隻手，

亞當的時候便住在裏邊；

牠比猛虎還要强，

牠比鑽石還要堅。

五隻手指宛如五個鐵勾，

宛如五個象鼻，

宛如獅子的脚爪，

宛如大鷲的尖嘴。

牠不怕種種的打擊，

不怕一切的折挫；

牠敢於伸入沸水，

敢於伸入烈火。

牠只是在那里亂撲，

沒有一刻的停止。

或者是要攫閃鑠的繁星，

或者是要擒杲杲的白日，

或者是要抓朝雲的輝煌，

或者是要取虹霓的明爛，

或者是要攫浪花的一現，

或者是要搶電光的一閃。

牠從最古的時候就捕捉，

依然是五隻手指。

牠雖然五指空空一無所得，

却還是捕捉不已。

見羅丹所作的『手』，當時受了很深的感觸，以為這隻手可以拿來象徵生之慾望，因作此詩。但不知羅丹作此時究意用意何在。

——二五年夏，北京。

時間是一把剪刀

時間是一把剪刀，

　　生命是一疋錦綺；

一節一節地剪去，

等到剪完的時候，

　　把一堆破布付之一炬！

時間是一根鐵鞭，

　　生命是一樹繁花；

一朵一朵地擊落，

等到擊完的時候，

　　把滿地殘紅踏入泥沙！

——二五年秋。

挖　　窖

我到郊野去挖窖，

　　挖出一塊化石；

牠的樣兒很兇頑，

　　上面寫着『煩悶』兩字。

我彎腰把牠拾起，

　　一接觸牠便復活。

牠睜開眼向我說話，

　　恨恨地怒視着我：

『你的心是我的故鄉，

　　你的心是我的祖國；

我生長在你的心裏，

　　我最愛住你的心窩。

誰把埋在這泥底，

　　使我受苦萬千年？

我從此住在你的心裏，

　　永久再不能把我埋掩！』

——二五年秋。

我的他睡在那裏

當我們幼小的時候，

　　他和我常常玩耍在一塊；

溪邊那個小小的土堆兒，

　　就是我們的戲台。

我們常在一塊兒摘桑果，

　　常在一塊兒打枇杷，

有時我陪他到田野去牧羊，

　　有時他來看我繡花。

冬天來了，就在門前塑雪人，

　　夏天來了，就到溪邊去垂釣：

我們那時只管無冬無夏地遊戲，

　　不知道荷花謝了，梧桐又凋。

有一回他掘了一株小柳樹來給我，

　　我們把牠種在籬邊；

我早晚殷勤地培植灌溉，

　　葉兒長得青翠而鮮艷。

後來他遠出去作活去了，

　　他去後就消息沉沉；

我私心禱祝，望他早早歸來，

　　從早望到晚，從晚望到晨。

月兒已圓缺了幾十次，

　　櫻花已開謝了好幾回；

我的靈魂和櫻花一樣燃燒，

　　和月兒一樣枯萎。

他種的柳樹也已成陰，

　　我站在柳下更加悲痛。

柳絲蓬蓬拂在我頭上，

　　愁絲鬱鬱繞在我心中。

我望他像春草新綠似的回家，

　　他却好像是石沉大海；

我心上有了一個灰暗的網，

　　牠的名字叫做悲哀。

終于我得到了他的消息，

　　牠幾乎使我身體炸破；

村前那販茶出外的商人，

　　他把這個消息告我。

他說他在海濱會見一個土坟，

　　坟上有荒草萋萋；

荒草終日隨着風兒搖動：

　　我的他睡在那裏。

——八，六，于北京。

秋風歌

秋風殺殺地吹來，

　　顫抖了蒼老的古槐；

葉兒蕭瑟地悲鳴，

　　鳴聲悽惻而孤冷。

樹林裏落葉紛紛，

　　我心上落葉如墳。

秋風蕭條而寂寞，

　　有如死之嚴肅；

砍去草兒的青翠，

　　摄去花兒的紅美。

樹林裏枯葉紛紛，

　　我心上枯葉如墳。

秋風慄冽而慘淡，

好像堅冰的威寒；

飄零了花葉的芳馨，

凋殘了我的生命。

樹林裏葉死紛紛，

我心上死葉如坟。

——八，八，于北京。

三　仇

上帝，人類，我自己的靈魂，

　　你們是我的仇人；

我不甘做你們的俘虜，

　　我要把你們磔成寸寸！

我自己的靈魂，上帝，人類，

　　你們是我的對壘；

我不甘被你們踐踏，

　　我要把你們擊得粉碎！

我自己的靈魂，人類，上帝，

　　你們是我的仇敵；

我不甘受你們的蹂躪，

　　我要把你們抽筋剝皮！

——二五年秋。

窗外

烟兒，烟兒，灰的烟兒，黑的煙兒，

滿眼的烟兒，滿鼻的煙兒，

灰的天空，滿天的白雲，白雲，

殮衣似的白雲，

枯樹，枯草，凋零的葉，

裸體的樹，赤膊的樹，不戴帽的樹，

坟墓，坟墓，坟墓，一個，兩個，三個，

廁所，馬桶，糞担，十担，八担，

強盜似的臭氣，賊似的臭氣，

翠竹，翠竹，林黛玉似的翠竹，

桑樹下的屍罎，裝骷髏的屍罎，

黃的棺材，黑的棺材，

烏鴉，烏鴉，蔡文姬似的烏鴉，

長的，圓的，方的，坟墓，坟墓，坟墓，

哭的梧桐樹，歎息的楓樹，

船帆，船帆，屍衣似的船帆；

橫臥的山，死屍似的山，

凄涼的煙囱，孤獨的塔，和尚似的塔，尼姑
似的塔，

電線桿，電線，長的電線，悲哀一樣的電線
，

新的，舊的，破的，坟墓，坟墓，坟墓，

——二，二四，速寫于滬杭路車中。

我是死寂的海水

我是死寂的海水，
你是溫香的春風，
只要你來吹我吻我，
我就會破了悲愁狂笑；
但你却不肯親近我。

我是死寂的海水，
你是婉妙的白雲，
我爲你日夜湧躍不息，
仰頭伸手要抱你；
但你只是不理睬我。

我是死寂的海水，
你是翠美的小島，
爲了你我已經劈癲發瘋，

我用力地抱你，熱烈地吻你；

但你冰冷得一動也不動。

——二，二八，於綠水洋船上。

勞工歌

霸佔巨產的走肉行尸！

　　你們是一切罪惡的根柢！

你們的靈魂上爬滿蠹蛆；

　　你們的心是惡魔所棲。

你們把我們的枯骨，

　　去舖你們伊甸園的道路；

在我們的屍身上作樂，

　　在我們的頭顱上跳舞。

你們把我們做奴隸，

　　把我們做牲犧，

我們做工供你們享樂，

　　我們自己忍凍忍飢。

你們是最暴虐的盜寇，

最殘忍的豺狼野獸！

你們購買了我們的生命，

搶奪了我們的所有。

你們把我們踐踏，

彷彿蹂躪脚底下的泥沙；

你們飲我們的鮮血，

把我們做兩脚的牛馬。

我們要復仇，我們要雪恨！

把你們粉骨碎身！

我們定不饒恕如此惡物，

誓必把你們滅種除根！

——二五年秋

破　壞

奴隸他人的皇帝，
榨取民脂的官吏，
不打臉的强盜的富人，
壓迫人民的法律：
　　都是我們的障碍，
　　都是我們的禍害，
　　攻擊呀攻擊！
　　破壞呀破壞！

束縛人民的禮教，
吃人食人的忠孝，
鐐銬人民的道德，
所有一切陳舊與古老：
　　都是我們的荊棘，
　　都是我們的牢壁，

破壞呀破壞！

攻擊呀攻擊！

——二五年秋。

聽　淚

愁成了枕頭，悲哀成了被，
近來眞是百無聊賴呵！
聽着淚呀寂寞地滴在枕頭上，
夜夜地聽，有些聽上癮了。

好像冷艷的淡素的白蓮，
纖弱的身子搖搖不定，
萎頹的瓣上落下淒清的露珠，
落在凋殘的荷葉上；

好像秋氣蒼茫的山谷裏，
樹木已失了青春的嫩綠，
枯黃的葉悄悄地飄零着，
寂沉沉地蕭蕭瑟瑟；

又像寒碧的天空裏，
星星靜靜地消滅了光輝，
不斷地一顆顆地隕落下來，
滴在渺渺的海水裏：

感謝淚聲如此慰我寂寥，
我很愛聽這清涼的調子了。
願悲切的淚聲做我的輓歌，
送入我永久安甯的墳墓。

——一九二三秋末，杭。

我怎能不歌唱

波濤天天在海裏升降，
雲霞時刻在天上飄蕩，
不唱詩我便是一個行尸，
　我怎能不歌唱？

倘若洞簫不响出牠的音浪，
牠只是枯死的竹棒；
除了詩我只剩一副枯骨，
　我怎能不歌唱？

我要割斷我的愁腸，
我要消解我的悲傷，
我要安慰我的不幸：
　我怎能不歌唱？

我們住的地獄不能變爲天堂，
我們的生命不能久長，
我們的青春逝如流水：
　我怎能不歌唱？

我抗不過自然的災殃，
我醫不好痛苦的創傷，
我脫不掉上帝的鎖鍊：
　我怎能不歌唱？

我北上遇着失望，
我南下遇着惆悵，
我西行遇着煩悶，
　我怎能不歌唱？

我不能把苦惱埋葬，
我不能把舊事遺忘，

我不能把命運斬首：

我怎能不歌唱？

——一九二三年舊稿，二五年改作。

播　種

我和伊日夜不輟地勤勞，

　　播種瑰麗的情苗；

我們陶醉在紅灼情花裏，

　　忘却我們的苦惱。

等到愛情稠密繁茂，

　　便把牠們燃燒；

教情火燒死我們自己，

　　燬却痛楚的窠巢！

——二二年秋，杭。

柳　　兒

青翠的柳兒夭嬌，
依依嫋嫋地飄飄；
沿堤一條條地低垂，
要親吻湖面碧波濤。

趁早盡全力地舞蹈，
秋神的利劍不能逃。
那怕風雨打絲縷？
縱然折斷了柔腰！

失了青春何處找？
快把碧波兒摟抱！
只要今朝沒命地飄舞，
聽他是凋零呀枯槁！

——二三年綠柳的春，杭。

流　去

天色沉沉黯黯，

　　遠樹模糊陰森。

我鎮日在水邊閑散，

　　散不去抑鬱煩悶。

拋了竿兒懶釣，

　　靜坐溪旁凝望：

聽琴泉細細飲泣，

　　看游魚悠悠來往。

但見汩汩的流水，

　　把我的生命馱住，

前拉後推地，

　　一滴滴地流去！

——二三年秋，杭。

唱罷

唱罷，玉一般的芷麗！
把你多情的心中釀的歌聲，
婉妙地唱些給我吧，
我已經憔悴成病。

你的歌聲好像飄飄的綠柳，
又像蓮花的清香的淡風；
牠能融去我的抑鬱，
能洗去我的悲痛。

請你用美妙的歌聲，
永久把我迷醉沉淪！
我不願再醒，我不願再醒，
這真寂寞得怕人！

——一二年夏，杭。

叔父說的故事

我幼時愛聽叔父說故事；
夜間叔母常來催睡滅明，
但我是例外的殷勤，
點起燈兒要再聽。

他說到白蛇被壓在塔下，
使我惋惜哀矜憤恨；
那時我立志要學神仙法力，
救出可憐可愛的女神。

如今我只能無可奈何地
對着強暴的雷峯塔；
而且我自己的心中
也有了沉重的塔兒鎮壓。

——二三年秋末，杭。

贈芷麗

閑立在欄杆內，

　　蓮花那般亭亭。

心性兒海棠般嬌，

　　品格兒水仙般清。

絲髮兒蓬頭，

　　勝似輕雲的鬆鬆。

微微低腔沉吟——

　　一朵含羞的白芙蓉。

山巔的積雪一樣純潔，

　　風中的落花一樣輕盈。

全個人兒都素雅，

　　宛如淡月化成。

頻送水一樣的眼波，

　　軟融了我的心靈。

醜的人間竟有美的你，

　　我爲你的美而生！

——二三年初夏，杭。

江　濤

滿江裏滾滾滔滔地流着，

　　一圍圍的黃金的波浪，

擁擠着拼命地快跑，

　　好像是發了狂。

彼此互相碰碎了又合起，

　　一齊跌倒了又爬上；

時時狠狽地碰碎又跌倒，

　　還是要奔向蒼茫。

江濤呀！你們終古不息地追趕，

　　趕那不可得的希望，

我也是在這裏洶湧，

　　和你們一齊流蕩！

——二三年初春，杭

無題曲

悲哀是無邊的天空，

　　快樂是滿天的星星。

吾愛！我和你就是

　　那星林裏的月明。

深深的根就是悲哀。

　　碧綠的葉是快樂。

吾愛！生在那上面的

　　花兒就是你和我。

海中的水是快樂，

　　無涯的海是悲哀，

海裏游泳的魚兒就是

　　你和我兩人，吾愛！

悲哀是無數的蜂房，

快樂是香甜的蜂蜜。

吾愛！那忙着工作的

蜂兒就是我和你。

——二三年紅葉的秋天，杭。

登初陽台

閑對着孤獨的桂樹，

　　這樣的倦這樣的無聊！

想要做夢又睡不去，

　　想要吹簫又吹不成調。

無端地跑上了初陽台，

　　只覺得天地太窄了。

眞沒有可遊的地方呀，

　　世間是無處不蕭條！

仰天想問什麼又問不出，

　　突然狂笑起來了。

但我只想痛快地哭呀！

　　我的心是無限的寂寥。

採得山花也丟了，

　　折得野草也拋了；

癡看着湖面波紋隱現，

　　呆聽風號竹葉蕭蕭。

那白雲浮在冷清清的空中，

　　何等悲涼何等靜悄！

我是無處可歸的白雲呀，

　　東西南北地飄颻。

——二三年秋，杭。

獨遊邱山

我辛辛苦苦跑上山頂，
滿山尋遍了一無所得，
依舊是空手歸來。

我要尋伊遊春時的足跡，
取一塊伊踏過的泥土，
但是足跡都消滅了。

那里有滿山青翠的草地，
伊曾經坐着休息過，
但如今青草都枯死了。

那里有一條靜寂的山泉，
伊曾經飲過清涼的水，
但如今泉水已乾涸了。

我辛辛苦苦跑上山頂，

滿山尋遍了一無所得，

依舊是空手歸來。

——二三，二，七，杭州

湖　上

西湖一切都如舊，

　　野草翠得更清麗了；

只少了去年攜手同遊的

　　那人兒不在這里了。

低頭看着湖兒沉思着，

　　水上少了兩個眼睛了；

代替他底眼睛落在湖面的，

　　就是我的兩滴淚星了。

摘了一枝紅的杜鵑花，

　　吻牠的只有一個嘴了；

但牠定要兩個人底親吻，

　　所以牠便憔悴了。

二三年春，杭。

贈　友

我們飄泊在西湖上，
失魂落魄地潦倒，
常常同在湖畔悲歌，
共上山頭狂笑。

山石山泥都踏遍，
湖波湖浪都飄了，
我們所盼望的美夢，
仍舊不曾找到！

流盡了古今的水，
吹盡了天下的風，
趕不去的無名的悲哀
終歸釘在心中！

低頭是渺渺茫茫，

抬頭是蒼蒼浩浩：

撕破滿天的雲霞！

拔掉滿地的花草！

——二三年秋，杭。

秋夜懷友

今夜的月色如此淒涼，

　　我孤獨地在月下徬徨，

我覺得無限的寂寞而無聊，

　　默默地向着長空凝望。

我們去年在吳淞江畔閒遊，

　　從夕陽下山到明月當天。

我要你們倆唱日本的歌兒，

　　我愛那歌情的悽艷。

你們一個唱得那樣悲壯，

　　一個又唱得那樣哀傷；

不盡的江流和着歌聲嗚咽，

　　夕陽明月和着歌聲升降。

我們自從那一回分別後，

　　便我南你北地飄蕩。

太陽月亮也和我們一樣，

　　東東西西永遠流浪！

——二三年初秋，杭。

拒　　絕

貞靜的小姑娘！

　　你肯不肯和我偕老？

我的相思和你家的桃花，

　　一齊紅到你的窗前了。

我已聽了『不愛你』三字，

　　這樣𠫊婉妙的聲調：

你不愛我也不要緊，

　　我就是死也瞑閉了。

——二三年桃花的春天，藏。

不能從命

我沒有崇敬，我沒有信仰，
但我拜服姸麗的你；
我把你當做上帝一樣，
求你收我做奴隸。

我素不服從，我向不折腰，
但我投降在你的脚下；
我對着你給我的信禱告，
你的信是我的十字架。

你可以把我做書童，
你可以把我做小婢，
我必定竭誠盡忠，
我件件甘心願意。

但是，我親愛的芷麗，

只有一件，只有一件不行：

你若要命我莫再愛你，

我絕對不能從命！

——二二年冬，杭。

河　水

河水滔滔流去，

　　一刻也不肯休息。

爲什麽這樣忙呢？

　　因爲牠有個目的。

無春無夏，無日無夜，

　　牠拚命地跑去。

岸旁花草拖牠不着，

　　高山大石阻牠不住。

吾愛！你是海，我是河水，

　　你是我惟一的希求。

倘若沒有你在前面，

　　我是一步也不願走！

——二三年秋，杭。

空空和尙歌

竹園裏儘逍遙，

紛紛世事都拋了。

奈何情焰復燃，

要把我心燒了！

相思呀太猖狂，

勃勃地要飛揚。

我冰冷了的靈魂，

不得不投降！

——二三年秋，杭。

我是那浪遊的白雲

我是那浪遊的白雲，

　　伊是那流離的月亮；

我們久經失望的心兒，

　　無限的寂寞悲傷。

我們洒着不幸的淚兒，

　　洒得滿天都是星星；

夜夜流不盡的淚珠，

　　是酸苦又是凄清。

浩浩的寒碧的天空，

　　如此冷淡，如此渺茫！

我們飄泊在淚星的天中，

　　永久空虛而蒼凉。

——二三年夏，杭。

那　　有

那有蘭花沒香氣？

那有蜂兒不採蜜？

我既有了一顆心，

那里能夠不愛你？

那有太陽不明亮？

那有星星不閃光？

月亮一般柔美的你，

那一刻不在我心上？

——二三年春末，杭。

尋笛聲

去年雪抱梅花的冬天，
月亮吻西湖的夜裏，
我們遊孤山的時候，
伊爲我吹了一囘笛。

吹得白雲微笑地輕舞；
吹得小星切切地低囈；
月兒站着忘記了趕路程；
湖水要拜笛兒做老師。

今夜我懷念着舊事，
就到孤山去尋笛聲：
山兒沉默着一點也不動，
水兒死一樣地清冷。

尋不着笛聲我悽然回來，

忽聽見笛聲的波流，

和伊吹的完全一樣，——

原來藏在我的心頭。

——二三年夏，杭。

不曾用過

王村有位有名望的君子，
大家都恭敬他當作模範。
他終生不曾娶過妻子，
他是個鐵面無私的好漢。

他常說女子比青竹蛇還毒，
爲人第一不可受女子迷。
婦女們見着他都不敢做聲，
因他對伊們比閻王更嚴厲。

他獨身到七十歲時死了，
他的魂就進了天堂。
他把心呈上上帝查驗——
是一個枯死的心臟。

上帝悲憫地發怒說，

『你不知已犯了大罪惡？

愚人呵！我給你的愛情，

你一點也不曾用過！』

——二三年秋，杭。

很好過了

無論我如何愛伊，

伊終不認識我的愛情。

我的心變成一朵茉莉，

拿去插上伊的花瓶；

伊只當作平常的花，

戲弄着揉碎摺了。

痛苦雖然是痛苦啊！

但也很好過了。

——二三年春，枕。

湖水和小魚

西湖的水是很碧清的，
有一個小魚住在裏面；
牠非常地安樂適意，
好像是一個神仙。

有一次下大雨的時候，
牠和湖水出外旅行。
湖水只顧自家回去了，
把牠丟在沙汀。

沙汀漸漸乾燥起來，
一點不能動，牠睡在那里。
牠悲啼哀哭而死了，
但牠的眼睛沒有閉。

我的芷麗，美妙的女黃帝！

你知道這個故事麼？

那湖水兒就是你，

那小魚兒就是我！

——二三年荷花的夏天，杭。

不曾知道

綠蔭涼爽的薔薇架下，
伊在那里細心繡花：
我的心跟着針兒穿進穿出，
一齊繡在上面了：
但伊至今不曾知道。

翠柳輕籠的青淺的草地上，
伊在那里圖畫春江；
我站在伊身邊吹着簫兒，
用簫聲捆着我的愛情送給伊：
但伊至今不曾知。

我們同坐着棗核樣的小船，
飄在柔軟黛碧的湖面；
我唱着水一般藍的歌兒，

用歌聲敲伊的靈魂的門欄：

但伊至今不曾覺察。

——二三年秋，杭。

玫　瑰

我爲你到世界上來，

　　滿山遍海地尋覓，

歷盡了風塵的勞苦，

　　才找着可愛的你。

你的無上的清美，

　　醉得我不再悲哀。

倘若沒有你在世上，

　　我也不來投胎！

我不顧命地愛你，

　　把你抱在心頭；

你的刺兒眞鋒利，

　　但我情願領受。

索性用力刺罷，美麗的，

　　痛也是很有味的；

我願流出靈魂的血，

　　染得你更加美麗。

——二三年桐葉落時，杭。

我把我的心壓在海洋底下

我把我的心壓在海洋底下，

　　教牠永遠沉淪；

但牠却使那驚濤駭浪

　　日夜不停地跳躍騰奔。

我把我的心窖在火山裏面，

　　敎牠化成灰燼；

但牠却使烈火更加怒噴，

　　燒焦了滿天的白雲。

我把我的心埋在冰山之中，

　　敎牠凍死在這冰坟；

但牠却使那堅冷的冰山，

　　化作水流滾滾。

——一二二年九月廿二，滬。

我的心

我的心變成一只曲調，
拿去送給一位女郎，
在花的早晨或月亮底下，
請伊隨意的歌唱。

唱出一個浩蕩的天空，
碧沈沈地無邊無際，
豪爽的風吹着輕快的雲，
飄來蕩去南北東西。

唱出一個渺茫的海洋，
非常深又非常廣闊，
壯勇的浪濤滾滾騰騰，
任性地奔放跳躍。

唱出一個茂盛的花園，
奇花異卉鮮豔無比，
都爭着興高采烈地開放，
非常香又非常美麗。

但是伊歌唱到如今，
仍舊不曾知道——
不曾知道原是我的心兒，
變了那隻奇妙的曲調。

——二三年秋，杭。

我　　要

我要把太陽摘去，

下他一千年的大雪；

教被雪壓着的世界，

會得終古冰結。

我要造一個新的太陽，

更加萬倍的猛烈；

牠所發出的火焰，

會把世界完全燬滅。

——二三年春，杭。

飄流到西湖

我從之江上飄流下來，
在西湖邊遇着一個小姑娘，
伊那純潔淸秀的美
停止了我的流浪。

我贈了伊幾首小詞，
伊又羞又怒又怕慌，
但是伊終歸不理我，
只說我太輕狂。

我好像一只無家的狗，
天天在西湖上亂跑。
我的深重的愛情，
已經綠遍了湖水了。

後來我看見伊和一位青年，
同坐在湖邊談笑。
我痛苦得忍耐不住，
心兒快要跳出來了。

但我不願惱恨伊，
我只想把自己撕掉。
此後我隨便什麼都不管，
大家就叫我『瘋子』了。

——二三年秋，杭。

能變什麼呢

倘若你是皎潔的月亮
　　住在蔚藍的天空很伶仃，
我就變許多小星圍着你，
　　歌舞着使你高興；

倘若你是玲瓏的鳥兒
　　尋不着適意的地方，
我就變個高大的碧落，
　　任你自由地翱翔；

倘若你是伶仃的魚兒
　　被關在汚濁的地塘裏，
我就變一湖清澈的水
　　憑你如意地遊戲；

倘若你是孤寂悒鬱，

　　鎮日價眼淚汪汪，

我就變成輕盈的微笑

　　牢牢地住在你臉上：

但是，倘若你將來離了我，

　　去做你丈夫的妻，

我的愛呀！我的愛呀！

　　我還能變什麼呢？

——二二年一二月一六。

小詩十首

一，泥土

我若是那路的泥土呀！
當伊行走的時候，
密密地吻着伊的脚。

一一二二年冬，杭。

二，石櫈

柳邊同坐的石凳，
自從那人死後，
冷落到如今。

三，足跡

當在門前柳樹下
尋我童年遊戲的足跡，
寂寞的母親呀！

四，月下

請烏雲把月兒遮了罷：
徒然這樣清明，
照不出那人的影！

——以上三首作于二三年春，杭。

五，期待

煩悶的黃梅雨裏期待着
鵑聲般渺遠的伊——
水梘寂寥地滴呀。

六，臉龐

你這淒涼的臉龐，
是一個皎潔的月亮；
眉目口鼻是纍顆的字，
一首思念我的詩。

——以上二首作于二三年夏，杭。

七，不來

這時候伊決不會來了，

又是孤寂地白等一天呵！

只得去找小河談天消遣了。

八，醒後

白日裏是不能相會，

怎麼夢裏又見不着呢？

夢也是這樣吝嗇呀！

九，路上

彈三絃的算命先生

冷僻的暗街上踱着，

這樣的路這樣地踱呀。

——以上三首二三年秋，杭。

十，望江台登眺

你爲何總不把伊載來？

你這該沉的輪船呀！

——二四年春，武昌，蛇山。

一九二七年九月出版
一九二九年三月再版

寂寞的國 (1501—2500)
(文學週報社叢書)

實價大洋陸角[illegible]
(外埠酌加郵費)

著者 汪靜之
發行者 開明書店
發行所 開明書店
上海望平街四馬路北